Para Erik, con agradecimiento.

Dirección editorial: Antonio Moreno Paniagua
Gerencia editorial: Wilebaldo Nava Reyes
Coordinación de la colección: Karen Coeman
Cuidado de la edición: Pilar Armida y Obsidiana Granados
Coordinación de diseño: Humberto Ayala Santiago
Supervisión de arte: Alejandro Torres
Diseño de portada: Gil G. Reyes
Formación: Zapfiro Design
Traducción: Karen Coeman

El misterio de los pasteles

Título original en neerlandés: *Picknick met taart*

D.R. © 2005, Uitgeverij Lannoo nv

Editado por acuerdo con Uitgeverij Lannoo nv, 8700 Tielt, Bélgica.

Primera edición: marzo de 2008
D.R. © 2008, Ediciones Castillo, S.A. de C.V.
Av. Insurgentes Sur 1886, Col. Florida,
C.P. 01030, México, D.F.

**Ediciones Castillo forma parte
del Grupo Editorial Macmillan**

www.grupomacmillan.com
www.edicionescastillo.com
info@edicionescastillo.com
Lada sin costo: 01 800 536 1777

Miembro de la Cámara Nacional de la Industria Editorial Mexicana
Registro núm. 3304

ISBN: 978-970-20-1409-6

Impreso en Tailandia/*Printed in Thailand*

El misterio de los pasteles

Thé Tjong-Khing

Castillo de la lectura